LIBROS

© Del texto: Pedro Cerrillo, 2000
© De las ilustraciones: Noemí Villamuza, 2000
© De esta edición: Grupo Anaya, S. A., 2000
Juan Ignacio Luca de Tena, 15. 28027 Madrid

Primera edición, octubre 2000

Diseño: Manuel Estrada

ISBN: 84-207-4411-5
Depósito legal: M. 40.097/2000

Impreso en ANZOS, S. L.
La Zarzuela, 6
Polígono Industrial Cordel de la Carrera
Fuenlabrada (Madrid)
Impreso en España - Printed in Spain

Cerrillo, Pedro
A la rueda, rueda...: Antología popular latinoamericana /
realizada por Pedro Cerrillo ; ilustraciones de Noemí Villamuza.
— Madrid : Anaya, 2000
96 p. : il. n. ; 20 cm. — (Sopa de Libros ; 53)
ISBN 84-207-4411-5
1. Folclore infantil. 2. Canciones infantiles. 3. Adivinanzas.
4. Trabalenguas. I. Cerrillo, Pedro, sel. II. Villamuza, Noemí, il.
III. TÍTULO
398.8(7/8)

A la rueda, rueda...

Pedro Cerrillo

A la rueda, rueda...

Antología de folclore latinoamericano

Ilustraciones
de Noemí Villamuza

ΛΝΛΥΛ

Introducción

Desde hace cientos y cientos de años, los niños y niñas de América Latina, como los de otros continentes, han cantado, reído y jugado con retahílas, canciones, sonsonetes y cantinelas de muy diversos tipos. Todas ellas son composiciones poéticas que se han transmitido de boca en boca y de generación en generación, formando parte de la cultura y del folclore de cada país.

Muchos de los textos seleccionados en este libro, aunque tomados en un país concreto, serán reconocidos por niños y niñas de otros países, porque también ellos los dirán, entonarán o cantarán con pequeñas modificaciones. Abuelos y abuelas, madres y padres, hijas e hijos, nietos y nietas, han intervenido, en distintos momentos, en la cadena de transmisión de estas canciones, haciendo posible casi un milagro: la pervivencia en el tiempo de cada una de esas cantinelas y sonsonetes.

En esta antología hemos incluido composiciones de cinco tipos diferentes: Adivinanzas, Canciones escenificadas, Suertes, Burlas y Trabalenguas. Algún lector podrá decir que faltan las nanas y los primeros juegos mímicos. Y tendrá razón. No aparecen porque son composiciones que se dirigen al niño más pequeño (al que todavía no habla o está empezando a hacerlo), necesitando obligatoriamente la intervención del adulto, que es quien dice la cantinela, mientras que las Canciones escenificadas, Suertes, Adivinanzas, Burlas y Trabalenguas son composiciones en las que los niños son emisores y receptores al mismo tiempo. Describámoslas:

1. ADIVINANZAS. Son breves composiciones que gustan a los niños de todo el mundo, porque, de algún modo, son un

juego; un juego verbal que esconde algo (un objeto, un nombre, un personaje) que hay que «adivinar».

2. CANCIONES ESCENIFICADAS. Son composiciones que exigen una escenificación o, incluso -a veces- una incipiente representación, en la que los niños que intervienen gesticulan, actúan y cantan. Existen muchas y su difusión es tan grande que las solemos conocer por el nombre de la acción a la que acompañan: «de comba», «de rueda», «de corro», «de filas», «de columpio», «de grupo», etc.

3. SUERTES. Se usan para marcar el orden de actuación de los participantes en un juego, señalando quién se «queda» y quién se «libra», acompañando, en otras ocasiones, el desarrollo del propio juego. Son fórmulas casi rituales, de contenidos disparatados, incluso absurdos, pero muy rítmicas y divertidas.

4. BURLAS. Son retahílas que tienen como finalidad mofarse o burlarse de otro, bien por lo que hace, o por lo que dice, o por cómo es.

5. TRABALENGUAS. Son composiciones que se construyen con juegos sonoros y juegos de palabras, de pronunciación difícil, sin significado lógico, en muchos de los casos, y que tienen como finalidad provocar que otro, a quien se le reta a que diga el trabalenguas, se equivoque, con la consiguiente risa del que ha hecho la propuesta.

El caudal enorme de composiciones que forman parte del Cancionero Popular Infantil Latinoamericano, con sus semejanzas y sus diferencias, no debe perderse. Si así fuera, se perdería una parte muy importante de la cultura y de la tradición de esos pueblos. El lenguaje envolvente de las repeticiones, la música de los estribillos, la sencillez de las expresiones, la magia de los sinsentidos y la familiaridad de muchos contenidos, hacen que estas composiciones parezcan que forman parte de nosotros mismos y, al mismo tiempo, de millones y millones de niños, que lo son ahora o que lo fueron antes, pero que todos hablan la misma lengua.

Pedro CERRILLO

ADIVINANZAS

1. *(De México)*

Adivina, adivinanza,
¿qué se pela por la panza?

1. La naranja.

2. *(De México)*

Agua pasa por mi casa,
cate de mi corazón;
el que no me lo adivine
es un burro cabezón.

2. El aguacate.

3. *(De Chile)*

A la boca,
sube rica;
de la boca,
baja pobre.

3. La cuchara.

4. *(De Nicaragua)*

A pesar de tener patas
no me sirven para andar,
tengo la comida encima
y no la puedo probar.

4. La mesa.

5. *(De Nicaragua)*

Llevo mi casa al hombro,
camino con una pata,
y voy marcando mi huella
con un hilito de plata.

5. El caracol.

6. *(De México)*

Oro no es,
plata no es:
abre la cortina
y verás lo que es.

6. El plátano.

25

7. *(De República Dominicana)*

Pajarito de maribolé,
que anda volando
y nadie lo ve.

7. El viento.

8. *(De Puerto Rico)*

Quien quiera gozar del fin
que se tome del finado,
no la cabeza ni el rabo;
y si lo viera morir,
claro te voy a decir:
no sé si has adivinado.

8. El delfín.

9. *(De México)*

Siempre quietas,
siempre inquietas,
durmiendo de día,
de noche despiertas.

9. Las estrellas.

10. *(De Argentina)*

Tiene dientes y no come,
tiene barba y no es hombre.

10. El ajo.

CANCIONES
ESCENIFICADAS

(Corros, ruedas, filas, rondas...)

1. *(De Argentina)*

A la rueda, rueda,
con pan y canela,
dame dos centavos
para ir a la escuela,
y si no tenís,
echate a dormir,
cata plin, plin, plin.

2. *(De Costa Rica)*

Antón, Antón, Antón Firulero,
cada cual, cada cual,
que atienda su juego,
y el que no, y el que no,
y el que no lo atendiese,
pagará, pagará,
la prenda que Antón le pusiese.

3. *(De Paraguay)*

Arroz con leche,
me quiero casar
con una señorita
de lindo color
que sepa coser,
que sepa bordar,
que sepa abrir la puerta
para ir a jugar.
Con esta sí,
con esta no,
con esta señorita
me caso yo.

4. *(De Guatemala)*

–Buenos días, mi señoría.
–¿Qué quería mi señoría?
–Yo quería una de sus hijas.
–¿Cuál de todas quería usted?
–Yo quería a...
–¿Qué oficio le pondremos?
–Le pondremos cocinera.
–Este oficio no le agrada.
–Le pondremos lavandera.
–Este oficio no le agrada.
–Le pondremos de princesa.
–Pues aquí la tiene usted,
a la órdenes de usted.

5. *(De Honduras)*

Candú, candú, candú, (bis)
me voy a andar el mundo
no solo por andar;
soy gallito y tengo espuelas
y dondequiera puedo cantar.
Candú, candú, candú, (bis)
en mis ojos están clavados
dos puñalitos de oro
por una linda joven
que con mis ojos vi.
Candú, candú, candú, (bis)
negrita, si me querés,
no lo des a conocer,
que la gente de este pueblo
hasta paga por saber.
Candú, candú, candú. (Bis)

6. *(De Colombia)*

Cucú, cantaba la rana,
cucú, debajo del agua;
cucú, pasó un caballero,
cucú, con capa y sombrero;
cucú, pasó una señora,
cucú, con traje de cola;
cucú, pasó una gitana,
cucú, vestida de lana;
cucú, pasó un marinero,
cucú, vendiendo romero,
cucú, le pidió un ramito,
cucú, no le quiso dar,
cucú, se echó a revolcar.

7. *(De Perú)*

De ese cerro verde
bajan las ovejas:
unas trasquiladas,
y otras sin orejas.
En el cerro negro
caen las neblinas;
de sus lindos ojos,
aguas cristalinas.

8. *(De El Salvador)*

–En la feria de San Andrés
he comprado una matraca,
traca, traca, la matraca.
–Vamos a ver...
–En la feria de San Andrés,
he comprado un violín,
lín, lín, el violín.
–Vamos a ver...
–En la feria de San Andrés
he comprado un tamborete,
teque, teque, el tamborete.
–Vamos a ver...

9. *(De Argentina)*

Estaba la pájara Pinta
sentadita en un verde limón,
con el pico recoge la hoja,
con la hoja recoge la flor.
¡Ay, sí! ¡Ay, no!
¿Dónde estará mi amor?
Me arrodillo
a los pies de mi amante,
cielo constante,
dame una mano, dame la otra,
dame un besito sobre tu boca.
Daremos la media vuelta,
daremos la vuelta entera,
haciendo un pasito atrás,
haciendo la reverencia.
Pero no, pero no, pero no,
porque me da vergüenza.
Pero sí, pero sí, pero sí,
porque te quiero a ti.

10. *(De Brasil)*

Lá em cima daquela montanha,
avistei uma bela pastora
que dizia em sua linguagem
que quería se casar.
–Bela Pastora, entrai na roda
pa ver cómo se dansa,
uma roda, roda e meia,
abraçai o vosso amor.

Allí encima de aquella montaña,
vi una bella pastora
que decía en su lengua
que se quería casar.
–Bella Pastora, entra en la rueda
para ver cómo se baila,
una vuelta, vuelta y media,
abrazad a vuestro amor.

11. *(De Chile)*

Lunes, desgana;
martes, mala gana;
miércoles, tormenta;
jueves, mala cuenta;
viernes, a jugar;
sábado, a pasear;
y domingo, a descansar.

12. *(De Chile)*

Mañana es domingo
de gallo y gallero.
Pasó un caballero
vendiendo romero.
Le pedí una ramita,
no me quiso dar,
cerré los ojitos,
me puse a llorar;
llegó mi abuelita,
me dio un dulcecito
y me hizo callar.

13. *(De México)*

Naranja dulce,
limón partido,
dame un abrazo
que yo te pido.
Si fueran falsos
mis juramentos,
en poco tiempo
se olvidarán.
Toca la marcha,
mi pecho llora;
adiós, señora,
yo ya me voy
a mi casita
de sololoy
a comer tacos
y no les doy.

14. *(De Brasil)*

Um, dois, feijao con arroz,
tres, quatro, feijao no prato,
cinco, seis, feijao prá nós tres,
sete, oito, feijao con biscoito,
nove, dez, feijao com pastéis.

Uno, dos, lentejas con arroz,
tres, cuatro, lentejas en el plato,
cinco, seis, lentejas para los tres,
siete, ocho, lentejas con bizcocho,
nueve, diez, lentejas con pastel.

15. *(De Ecuador)*

Para darme una sorpresa,
mi papito se empeñó
en hacerme una casita
con jardín y mirador.
Las ventanas y las puertas
eran todas de alfajor,
y de almendras las paredes
y también el mirador.
El techo, de chocolate;
de miel es el corredor;
las escalas, de turrones,
todo, todo de primor.

16. *(De Panamá)*

Pobrecita huerfanita
sin su padre y sin su madre,
la echaremos a la calle
a llorar su desventura.
Cuando yo tenía mis padres
me vestían de oro y plata,
y ahora que no los tengo
me visten de pura lata.
Cuando yo tenía mis padres
me daban mi chocolate,
y ahora que no los tengo
me dan agua del metate.
Cuando yo tenía mis padres
me daban leche caliente,
y ahora que no los tengo
me dan agua de tomate.

17. *(De Uruguay)*

Se va, se va la lancha,
se va, se va el vapor,
y el lunes por la mañana
también se va mi amor.
Temprano me levanto
y voy a la orilla del mar
a preguntarles a las olas
si es que lo han visto pasar.
Las olas me responden
que sí, que lo han visto pasar
con un ramito en la mano
para su amada llevar.

18. *(De Cuba)*

¿Quieres saber, quieres saber,
cómo se siembra el trigo y el maíz?
Mira, así, así se siembra
el trigo y el maíz.
¿Quieres saber, quieres saber,
cómo se escarda el trigo y el maíz?
Mira, así, así se siembra
el trigo y el maíz.
¿Quieres saber, quieres saber,
cómo se siega el trigo y el maíz?
Mira, así, así se siega
el trigo y el maíz.

¿Quieres saber, quieres saber,
cómo se trilla el trigo y el maíz?
Mira, así, así se trilla
el trigo y el maíz.
¿Quieres saber, quieres saber,
cómo se acarrea el trigo y el maíz?
Mira, así, así se acarrea
el trigo y el maíz.
¿Quieres saber, quieres saber
cómo descansa el pobre labrador?
Mira así, así descansa
el pobre labrador.

19. *(De Argentina)*

ROMANCILLO DE LA ESCRITURA

Tuviera tintero de oro,
buscara papel de plata,
pusiera todo mi esmero
en escribirte una carta.
En blanco papel te escribo
porque blanca fuera mi suerte,
los renglones divididos
porque de ti vivo ausente.
Andate papel volando
a las manos que te mando,
si no sos bien recibido,
volvete papel volando.
Dile que en el mismo instante
que por su ausencia me muero,
que me escriba de su mano
siquiera para consuelo.

20. *(De Argentina)*

Yo soy el negrito fino
que siempre pasó por acá,
vendiendo escoba y plumero
y nadie quiere comprar.
Será porque soy tan negro
que a nadie le va a gustar;
será porque soy tan finito
que me pongo colorao.
Señor de la concurrencia,
la fiesta ya se acabó;
mande los hijos a casa,
y el negrito saludó.

SUERTES

1. *(De México)*

A pares y nones
vamos a jugar,
el que quede solo
ese perderá.

2. *(De Nicaragua)*

Ene, tene, tú,
cape, nene, nú,
tiza, fa, tum, balá,
tas, tes, tis, tos, tus,
para que seas tú.

3. *(De Venezuela)*

Maquini surcí,
maquina surzá,
dame la sortija
que en tu mano está.
Aquí la perdió,
aquí la ha de hallar,
y si no la hallare,
en tu mano está.

4. *(De México)*

Pico, pico, mandurico,
tú que vas, tú que vienes
a lavar las mantillitas
a la gata marifata.
Alza la mano,
cuchara de plata.

5. *(De Puerto Rico)*

Una, do, li, tra,
elelé mengua,
un sofete, carolete,
una, do, li, tra.

6. *(De Argentina)*

Una, una, una,
una, dos y tres;
contaron los diamantes,
contaron al revés,
contaron y contaron
hasta veintitrés.

7. *(De Argentina)*

La naranja se pasea
de la sala al comedor,
no me tires con cuchillo,
tírame con tenedor.

BURLAS

1. *(De México)*

Conejo Blas,
¿adónde vas
con la escopeta
colgada de atrás?

2. *(De México)*

Lero, lero, candelero,
aquí te espero,
comiendo huevo
con la cuchara
del cocinero.

3. *(De Puerto Rico)*

Pues este era un soldado
que siempre estaba parao,
vestido de colorao;
se quitó la gorra
y se quedó pelao.

4. *(De Puerto Rico)*

Pues, señor, este es el cuento
de Juan Gandules,
que tenía calzones azules
y la chaqueta al revés.
¿Quieres que te lo cuente otra vez?

5. *(De Argentina)*

–Tengo hambre.
–Chúpate el dedo grande,
hasta que te dé calambre.

TRABALENGUAS

1. *(De Argentina)*

Con Pinto no pinta nadie
porque Pinto es muy mi amigo;
la que con Pinto pintase
pinta con Pinto y conmigo.

2. *(De México)*

Cuando cuentes cuentos
cuenta cuántos cuentos cuentas,
porque si no cuentas
cuántos cuentos cuentas,
nunca sabrás
cuántos cuentos sabes contar.

3. *(De Argentina)*

En un juncal de la junquera
juntaba juncos Julián,
juntose Juan a juntarlos,
juntos juncos juntarán.

4. *(De Colombia)*

Erre con erre, cigarro,
erre con erre, barril;
rápido ruedan los carros
cargados de azúcar
del ferrocarril.

5. *(De Nicaragua)*

Para la Lola una lila
dile a la Adela,
mas cogióla Dalida.
Y yo le dije:
–¡Hola, Adela,
dile a Dalila
que le dé la lila a la Lola!

6. *(De México)*

–Señor, cómpreme coco.
–Yo no compro coco
porque como poco coco,
y como poco coco como
poco coco compro.

7. *(De Chile)*

Subí a un peral con peras;
había tantas, que comí peras,
traje peras
y dejé peras en el peral.

Índice

INTRODUCCIÓN 7

ADIVINANZAS

1. *(DE MÉXICO)* 13
2. *(DE MÉXICO)* 15
3. *(DE CHILE)* 17
4. *(DE NICARAGUA)* 19
5. *(DE NICARAGUA)* 21
6. *(DE MÉXICO)* 23
7. *(DE REPÚBLICA DOMINICANA)* 25
8. *(DE PUERTO RICO)* 27
9. *(DE MÉXICO)* 29
10. *(DE ARGENTINA)* 31

CANCIONES ESCENIFICADAS

1. *(DE ARGENTINA)* 35

2. *(DE COSTA RICA)* 36

3. *(DE PARAGUAY)* 37

4. *(DE GUATEMALA)* 38

5. *(DE HONDURAS)* 39

6. *(DE COLOMBIA)* 40

7. *(DE PERÚ)* 41

8. *(DE EL SALVADOR)* 42

9. *(DE ARGENTINA)* 43

10. *(DE BRASIL)* 44

11. *(DE CHILE)* 45

12. *(DE CHILE)* 46

13. *(DE MÉXICO)* 47

14. *(DE BRASIL)* 48

15. *(DE ECUADOR)* 49

16. *(DE PANAMÁ)* 50

17. *(DE URUGUAY)* 51

18. *(DE CUBA)* 52

19. *(DE ARGENTINA)* 54

20. *(DE ARGENTINA)* 55

SUERTES

1. *(DE MÉXICO)* 59

2. *(DE NICARAGUA)* 60

3. *(DE VENEZUELA)* 61

4. *(DE MÉXICO)* 62

5. *(DE PUERTO RICO)* 63

6. *(DE ARGENTINA)* 64

7. *(DE ARGENTINA)* 65

BURLAS

1. *(DE MÉXICO)* 69

2. *(DE MÉXICO)* 70

3. *(DE PUERTO RICO)* 71

4. *(DE PUERTO RICO)* 72

5. *(DE ARGENTINA)* 73

TRABALENGUAS

1. *(DE ARGENTINA)* 77

2. *(DE MÉXICO)* 78

3. *(DE ARGENTINA)* 79

4. *(DE COLOMBIA)* 80

5. *(DE NICARAGUA)* 81

6. *(DE MÉXICO)* 82

7. *(DE CHILE)* 83

Escribieron y dibujaron...

Pedro Cerrillo

—*Pedro C. Cerrillo vive en Cuenca (España). Es profesor de Literatura en la Universidad de Castilla La Mancha y director del CEPLI (Centro de Estudios de Promoción de la Lectura y Literatura Infantil). Desde hace años ha centrado su trabajo en el estudio y la difusión de la Literatura Infantil, con especial dedicación a la poesía de tradición popular. Ha publicado más de veinte libros, algunos para niños y bastantes más para adultos* (Antología de nanas españolas, Cancionero popular infantil de Cuenca *o* Adivinanzas españolas). *¿Cuándo se inició tu interés por la poesía popular de tradición infantil?*

—Hace casi veinte años, cuando tuve que decidir el tema de mi tesis doctoral. Con la ayuda de Arturo Medina, maestro y pionero en este tipo de estudios, dediqué tres años al estudio lingüístico y literario de la lírica popular española de tradición infantil.

—*¿Qué puede encontrar un profesor tras estas canciones o retahílas?*

—Muchos elementos literarios, tanto en las formas como en la estructura. Son materiales de transmisión oral que deben ser fijados por escrito, para evitar que se pierdan, ya que no se practican con la misma intensidad que en otras épocas. Sin duda, a ello ha contribuido la aparición de otras actividades que ocupan el tiempo de juego de los niños, la televisión sobre todo.

—*¿Qué tipo de composiciones podemos encontrar en esta antología?*

—Son canciones populares infantiles de diversos países latinoamericanos, que se interpretan en ocasiones y con motivos diferentes: adivinanzas, suertes, canciones escenificadas, burlas y trabalenguas. Aunque en cada canción figura el país de prodecencia, muchos niños de otros países las reconocerán: es material de transmisión oral que, con variaciones, encontramos en varios países que hablan la misma lengua.

Noemí Villamuza

—Noemí Villamuza lleva algunos años dedicada a la ilustración infantil. ¿Qué nos cuenta de su trayectoria como ilustradora?

—Comencé a dibujar cuando... en fin, ¡qué absurdo!, todos hemos sido «dibujantes potenciales» en nuestra infancia, en esa etapa de torpeza con las letras; pero, cuando ya no forma parte del proceso de expresión más primario e insistes en dibujar, es cuando lo haces más tuyo, cuando se convierte en una forma de comunicación placentera y atractiva, porque personalizas un estilo y, de alguna forma, cuentas quién eres. Empecé ilustrando libros de texto, un mundo del que se aprende muchas cosas cuando acabas de llegar, y después los primeros cuentos, que son la auténtica aventura. *A la rueda, rueda* es la tercera sopa de libros que ilustro.

—*¿Por qué ilustrar para niños?*

—Ilustrar es contar por segunda vez, es dar también lectura a quien abre un libro, una «lectura plástica», y en la literatura infantil principalmente. Imaginar un niño absorto en una imagen que tú has creado; despertar en alguien las posibilidades de «hablar» que tiene un dibujo, me parece lo más satisfactorio de trabajar para la infancia.

—*¿Cómo se ha sentido al trabajar en este libro en particular?*

—Cuando trabajas en una recopilación como esta, formada de retahílas., canciones, adivinanzas..., puedes plantearte la ilustración de una manera fresca y lírica, puesto que no hay una narración única, sino muchas pequeñas «historias». Dar unidad de estilo al conjunto y, a la vez, crear dibujos independientes para cada página ha sido lo más interesante.

SOPA DE LIBROS

A PARTIR DE 8 AÑOS

MI PRIMER LIBRO DE POEMAS (n.º 1)
J. R. Jiménez, F. García Lorca y R. Alberti

LA SIRENA EN LA LATA DE SARDINAS (n.º 7)
Gudrun Pausewang

LOS TRASPIÉS DE ALICIA PAF (n.º 13)
Gianni Rodari

CUENTOS PARA TODO EL AÑO (n.º 18)
Carles Cano

MARINA Y CABALLITO DE MAR (n.º 24)
Olga Xirinacs

CHARLY, EL RATÓN CAZAGATOS (n.º 25)
Gerd Fuchs

EL PALACIO DE PAPEL (n.º 26)
José Zafra

LOS NEGOCIOS DEL SEÑOR GATO (n.º 35)
Gianni Rodari

EL BELLACO DURMIENTE (n.º 40)
Dimas Mas

DIECISIETE CUENTOS Y DOS PINGÜINOS (n.º 41)
Daniel Nesquens

POR CAMINOS AZULES... (n.º 43)
Antología de varios autores

**SI VES UN MONTE DE ESPUMAS
Y OTROS POEMAS (n.º 44)**
Antología de varios autores

NUBE Y LOS NIÑOS (n.º 49)
Eliacer Cansino